S0-BAT-017

MIRANDA

SON ITZIAR Y JORGE MIRANDA

Thilopía

LOLA CASTEJÓN
FERNÁNDEZ DE GAMBOA

© Del texto: Itziar Miranda y Jorge Miranda
© De las ilustraciones: Lola Castejón Fernández de Gamboa
© De esta edición: Grupo Editorial Luis Vives, 2015

Edelvives Talleres Gráficos. Certificado ISO 9001
Impreso en Zaragoza, España

ISBN: 978-84-140-0133-2
Depósito legal: Z 1146-2015

JUANITA

COLECCIÓN MIRANDA

ILUSTRACIONES
Thilopía

Edelvives

Me llamo Miranda y tengo ocho años.

Me gustan las pompas de jabón, el olor de las tardes de lluvia y los pájaros que me caben en la mano.

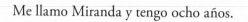

ME GUSTAN LOS PÁJAROS QUE ME

Me gustan los caramelos de violeta y también me gusta jugar con las teclas negras del piano que hay en casa de mi abuela porque siempre suenan bien. Me gusta subir montañas y bañarme en los lagos helados, aunque a veces se me corte un poco la respiración.

6. Long-tailed Finch (Poephila acuticauda)

CABEN EN LA   MANO

Pero esta semana lo que más me gusta es mirar por la ventana de mi habitación para adivinar dónde duerme el chico rubio que vive en el edificio de enfrente.

Sé que vive ahí porque llegamos del cole a la misma hora. En realidad no sé cómo se llama; la verdad es que nunca he hablado con él. Creo que me moriría de la vergüenza si él se enterara de que cada vez que le veo se me encoge la garganta y ya no puedo comer nada en todo el día, ni siquiera pipas, que es algo que comes sin pensar. Yo creo que me estoy enamorando un poco bastante, aunque mi amiga Celia dice que eso es imposible, que no te puedes enamorar de alguien que no conoces, que para enamorarte por lo menos tienes que saber cómo huele. Y yo ni le he olido ni le he escuchado hablar, pero es tan guapo... Todas las noches me quedo horas y horas esperando a que se asome por una de las ventanas pero, de momento, nada. ¿Será que vive en un interior? ¿Será que su casa no tiene ventanas? ¿Será que solo se asoma cuando voy a hacer pis?

Mi abuela Leo dice que me voy a volver loca si sigo mirando por la ventana y me ha recordado la historia que me contó una vez sobre la reina Juanita, la que se volvió un poco loquita. Y es que a mí, en realidad, lo que más me gusta del mundo es que me cuenten historias, y más si son de verdad.

¿Será que vive en un interior?

¿Será que su casa no tiene ventanas?

¿Será que solo se asoma cuando voy a hacer pis?

JuÁNjta nO Era ni gOrda

Juanita no era ni gorda ni flaca, era más bien tirando a normal, pero tenía unos dedos largos, largos. Cuando te acariciaba, si cerrabas los ojos, parecía una ramita de árbol haciéndote cosquillas. Su cara era muy redonda; a muchos les recordaba a la luna pero a mí me recordaba a un garbanzo. A mí me gustan mucho los garbanzos, sobre todo en invierno, aunque a veces cuando como muchos me duele la tripa; y es que a mí cuando me gusta mucho una cosa no puedo parar... ¿De qué estábamos hablando? ¡Ah, sí!, de la reina Juanita.

Vivió hace cinco siglos, que para quien no lo sepa son ciento ochenta y dos mil quinientas vueltas de la Tierra sobre sí misma (esto lo he averiguado con una calculadora, que soy lista pero no tanto).

Primero fue una princesa; todas las reinas primero son princesas. Juanita no nació para ser reina porque tenía dos hermanos mayores, Juan e Isabel, pero la vida da muchas vueltas y más en un palacio.

NI flaca

Vivía en Toledo, que es una ciudad llena de iglesias.
Igual por eso a sus padres los llamaban los Reyes
Católicos, seguramente les encantaba ir a misa.
Su mamá, Isabel, era una señora muy estirada que
siempre iba de negro. A mí me parece que a Juanita no le pegaba
tener una madre así porque a ella la volvían loca los colores y,
cuando su mamá no la veía, le gustaba mezclarlos y salirse de las
rayas. Es guay salirse de las rayas.

ES guay salirse de las rayas

Su padre era un rey muy importante. Se llamaba Fernando y creo que le gustaban más los niños que las niñas, porque desde que se enteró de que Juanita era una niña no le prestó mucha atención.

Juanita decía que quería ser monja; yo creo que en realidad no lo pensaba, pero como vivía en Toledo y había tantas iglesias no se le ocurrió nada mejor. Como nadie le hizo caso, se le olvidó.

Un día sus padres le dijeron que tenían un regalo para ella. Aunque la avisaron de que tardarían un tiempo en dárselo, Juanita se puso muy contenta. ¡Le encantaban los regalos, sobre todo si eran sorpresa! Se alegró tanto que empezó a saltar de la emoción y se le enredó todo el pelo.

La reina Isabel se enfadó mucho. La castigó sin cenar y sin contarle cuál era la sorpresa hasta que no se comportase como una princesa. Y es que, no sé si lo sabíais, pero las princesas no pueden saltar. Creo que tampoco pueden despeinarse, pero de esto no estoy segura.

Juanita tuvo que esperar siete días para que su madre le levantara el castigo. Yo una vez tuve que esperar una noche entera por un regalo sorpresa y no dormí nada. Nunca había estado una noche sin dormir, luego me dolía un montón la cabeza de imaginarme qué sería; y es que cuando uno empieza a imaginar no puede parar, pasa como con los garbanzos.

Resultó que el regalo de los reyes era un príncipe que se llamaba Felipe. En esa época, los padres de las princesas regalaban príncipes de otros países a sus hijas.

A Juanita al principio no le hizo mucha gracia; tanta
emoción para nada. A ella le hubiera gustado más un caballo
o un autógrafo de Cristóbal Colón. A nadie le hace gracia

que le regalen un novio, a mí por lo menos no me gustaría,
y menos si es un príncipe, y mucho menos si se llama Felipe.
Su hermano Juanito era un príncipe y era un rollazo. Por cierto,
a él también le regalaron una princesa, se llamaba Margarita
y era la hermana del mismo Felipe.

Juanita tuvo que esperar a cumplir dieciséis años para conocerlo;
le dio tiempo a imaginárselo de muchas maneras: alto, bajo, gordo
como una sandía, pero siempre feo. Lo peor de los regalos es que
antes de abrirlos ya te tienen que gustar y eso, a veces, pone un
poco nerviosa.

CAPÍTULO 2

El príncipe vivía muy lejos de Toledo, en un lugar que se llamaba Flandes, así que Juanita tuvo que hacer un viaje muy largo. La noche antes de partir no pudo pegar ojo. Sentía como si dentro de su estómago cientos de hormigas jugaran al pilla-pilla. Tenía miedo por la nueva vida que le esperaba, pero por otro lado se moría de ganas de descubrirla. Flandes estaba tan lejos que tuvo que tardar por lo menos ciento sesenta y tres días en llegar. Cruzó todo el país montada a caballo, que era como ir en coche ahora, y cuando llegó al final, un montón de barcos la esperaban para cruzar el mar.

Juanita estaba un poco triste porque la reina, su madre, no la iba a acompañar y, aunque es verdad que siempre la estaba castigando, sintió mucha pena por tener que despedirse de ella. Se dieron el abrazo más fuerte que se habían dado nunca. Fue tan fuerte, tan fuerte, que Juanita no podía respirar, aunque en ese momento no le importó: se sentía tan a gustito que se hubiera quedado así un buen rato. Además, era mejor estar sin respirar porque la reina no olía muy bien. Había hecho la promesa de que no se bañaría hasta que conquistase la ciudad de Granada, así que olía a bolitas de ombligo, que es un olor un poco rancio, por no decir asqueroso. Por aquel entonces las reinas estaban siempre conquistando ciudades para hacerse palacios y poder veranear.

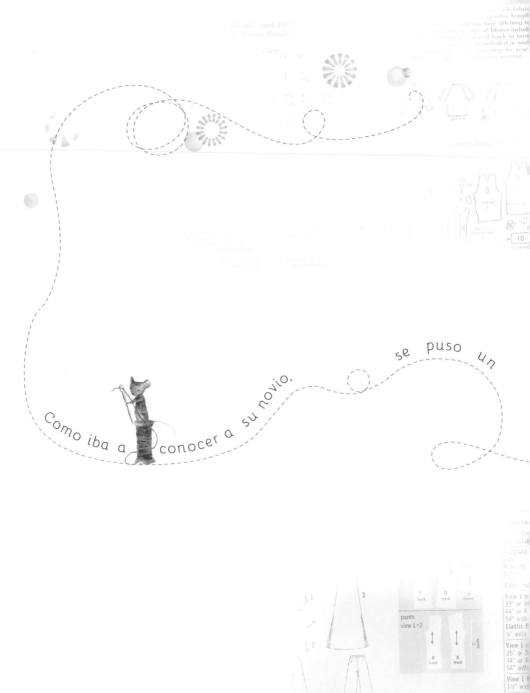

Como iba a conocer a su novio, se puso un

vestido muy bonito

hecho con oro

Diecinueve buques y tres mil quinientos hombres viajaron hasta Flandes con Juanita. A ella le pareció un poco exagerado; ni siquiera le dio tiempo a conocerlos a todos. Le explicaron que era para demostrar el esplendor de la Corona castellana; vamos, para dejar a todos los de Flandes con la boca abierta.

Como iba a conocer a su novio, se puso un vestido muy bonito hecho con oro. Debe de ser muy pesado llevar un vestido de oro, por los quilates y todo eso, y más en un barco que se mueve tanto con las olas y con las posibles marejadillas. Y además, si te encuentras piratas y te roban el vestido, te quedas sin ropa y ¡menuda vergüenza conocer a tu novio así!

Yo creo que es muy arriesgado, pero Juanita era muy valiente. Una vez estaba cruzando el Tajo con su mula, que es como una yegua que no puede tener hijos, cuando esta se torció la pata y se cayeron al río. El agua estaba helada y Juanita, sin pensárselo dos veces, la cogió de las orejas y la llevó nadando hasta la orilla.

Casi se ahogan las dos pero al final no les pasó nada. Todos en la ciudad se pusieron muy felices de tener una princesa tan valiente. Hasta su padre, que casi no se acordaba de que tenía una hija, se puso muy contento, el que más de todo Toledo, y ya no se volvió a olvidar de Juanita. A veces los padres se olvidan de las cosas, pero es normal porque están muy ocupados y no pueden hacer dos cosas a la vez, se desconcentran. Hay que tener un poco de paciencia con ellos.

A lo que íbamos: cuando Juanita llegó al puerto de Flandes, había mucha gente esperándola. Ella estaba como un flan, le temblaba todo el cuerpo y cada minuto tenía que correr al baño porque le entraban unas ganas tremendas de hacer pis, por los nervios y todo eso. No me quiero ni imaginar cómo tiene que ser ir a hacer pis con un vestido de oro.

Con la mirada, intentaba adivinar cuál de todos aquellos hombres era Felipe. Aunque nunca le había visto y ella siempre se lo había imaginado feo, durante el viaje le habían dicho que era muy guapo, tanto tanto que le llamaban Felipe el Hermoso.

Mientras buscaba entre la multitud, unas señoras vestidas con unos colores muy chillones se acercaron a ella. A Juanita se le iluminó la cara al comprobar que nadie vestía de negro; era como cuando ella pintaba a escondidas de su madre. Le dijeron que eran las encargadas de llevarla a palacio. Felipe no estaba en el puerto; se había olvidado de ir a buscarla. Eso a Juanita la puso muy triste porque ella venía con su vestido de oro, que era el más bonito que tenía, y ahora tendría que cambiárselo porque se había ensuciado en el viaje.

La llevaron al palacio que ahora iba a ser su casa y estuvo esperando muchos días hasta que Felipe por fin volvió. En esos días, de los nervios y de la tristeza, se puso enferma, hasta con fiebre. Menos mal que, cuando el príncipe llegó, ella ya estaba bien.

Cuando sus damas de compañía le dieron la noticia de que Felipe estaba de vuelta, se puso un traje rojo (el de oro aún estaba secándose) y bajó corriendo por las escaleras a conocer a su futuro príncipe. Estaba muy nerviosa porque no sabía si le iba a gustar. Es difícil que te elijan un novio y te guste.

Con cada escalón que pisaba pensaba: «me gustará, no me gustará, me gustará, no me gustará», y así doscientos cuarenta y tres escalones que acabaron en «me gustará». Levantó la mirada y vio a un chico rubio de pelo largo que la miró y sonrió. Era el chico más guapo que Juanita había visto nunca, y eso que en Toledo había chicos muy guapos. A mí me daría un ataque si el chico de enfrente de mi casa me mirara, no quiero ni pensar si me sonriera.

Juanita se quedó sin respiración unos minutos, como cinco, más o menos, y después se puso a llorar. Felipe creyó que lloraba porque seguía enfadada con él y se sintió muy mal por haberla puesto triste. En realidad lo que le pasaba era que se había enamorado profundamente. Eso y que estar cinco minutos sin respirar te hace llorar siempre. No sé por qué, pero tú te tapas la nariz un buen rato y de pronto comienzan a caer lágrimas, aunque no estés triste ni nada, y cuando empiezas a llorar ya no puedes parar porque te acuerdas de un montón de cosas que te ponen triste y ya la hemos fastidiado.

Juanita se quedó llorando dos días enteros, con mocos y todo. Felipe no dejaba de darle besos para que se le pasara y, cuando dejó de llorar, llegó un cura y los casó. A Juanita le pareció un poco precipitado pero también le resultó divertido que fuera así, en el mismo palacio y no en una bonita iglesia como las que hay en Toledo. Seguro que su madre la hubiera castigado por casarse tan a lo loco. Pero las cosas allí eran muy diferentes a como se hacían en España. Allí sí que se salían de las rayas.

CAPÍTULO 3

Felipe y Juanita se lo pasaron muy bien los días que siguieron
a la boda. Solo cuando llegaba la noche, a Juanita le entraba un
poco de congoja porque echaba de menos a su familia: se acordaba
del pesado de su hermano, del singular olor de su madre, incluso
echaba de menos los besos que su padre nunca le había dado. Para
que se durmiera, Felipe le contaba historias sobre lugares increíbles
de los que ella nunca había oído hablar. Y aunque conseguía
quitarle la tristeza, también le quitaba el sueño.

Se le ponían los ojos como platos escuchando todas las aventuras
que su príncipe inventaba solo para ella. Pero lo mejor de todo
era que Felipe la hacía reír, hasta tal punto que tenía que agarrarse
la barriga porque creía que le iba a explotar. Los criados no podían
dormir con tanto cachondeo y, por la mañana, los pobres no
daban pie con bola.

El único problema era que a Felipe le gustaban demasiado las
chicas. Cada vez que pasaba una por su lado, no podía dejar
de perseguirla y de decirle cosas bonitas hasta que ella le sonreía.
A mí me recuerda a Jesús Arturo, un niño de mi cole que está todo
el recreo haciendo tonterías para que las de mi clase le miremos.
Claro, que a él no le sonríe ninguna. A Juanita le hacía rabiar

que Felipe se fijara en otras chicas. Una vez, mientras se estaba peinando, escuchó a una dama de la corte contarle a otra que Felipe era su novio. Así que salió disparada y le clavó el peine en la cabeza haciéndole sangre y todo. Juanita esta vez sí que se pasó de la raya, porque la pobre chica nunca más se pudo sacar el peine de la cabeza. Aunque, claro, eso le pasó por ser una *quitanovios*. Vamos, me entero yo de que mi amiga Celia le ha sonreído al chico de enfrente y ya puede empezar a correr.

Después de eso, Juanita enfermó de celos. Siempre que Felipe se iba a alguna guerra o a comprar el pan, ella le seguía a escondidas y, si sus damas no la dejaban salir, no paraba de llorar hasta que Felipe volvía. Pobre Juanita, no entendía que Felipe se divirtiera con otras novias, ¡con lo bien que lo pasaban juntos!

Un día, mientras merendaban, Juanita le dijo, para chincharle y ver la cara que ponía, que ella también quería tener más novios. Eso a Felipe no le hizo ninguna gracia. Aunque no lo pareciera, Felipe también estaba enamorado de Juanita, pero lo estaba a su manera; ni mejor ni peor, diferente. Así que durante unos días no se despegó de ella, hasta tal punto que Juanita se quedó embarazada de su primera hija. Se jugaron el nombre de la niña a piedra, papel o tijera. Menos mal que ganó Juanita, porque Felipe la quería llamar María Borgoña, como su madre. Al final, sería Leonor.

CAPÍTULO 4

Durante los primeros días de embarazo, Felipe y Juanita estuvieron más unidos que nunca. Juanita se quedaba dormida mientras Felipe se abrazaba a su barriga y le susurraba cuentos al bebé a través del ombligo. Pero cuando más felices eran, llegaron malas noticias desde España: Juanito, su hermano, había muerto. Así, sin avisar.

El pobre se había enamorado perdidamente de Margarita. Y es que Margarita era muy simpática. Cada vez que se reía, que era casi siempre, le brillaban tanto los ojos que parecía un sol enorme, el más grande que podáis imaginar. Juanito, desde la primera vez que la vio, no podía mirarla sin que le sudaran las manos. Dicen que se murió de amor. Yo creo que se derritió de tanto estar a su lado. Hay que tener mucho cuidado con algunos amores, porque son tan fuertes que te puedes morir sin darte cuenta y luego no hay marcha atrás.

Juanita aún no había podido secarse todas las lágrimas cuando llegó otra carta desde España diciendo que su hermana Isabel también había muerto. Y es que en esa época no existían tantos medicamentos, ni jalea real para ponerse fuertes, ni calefacción ni nada. Cuando era pequeña, Juanita siempre había soñado con

ser la hermana mayor para que nadie la mangoneara, pero ahora que lo era se sentía culpable. Además, de pequeña había pasado por alto un detalle bastante importante: ser la hermana mayor la convertía en sucesora de la reina.

A Juanita le parecía un rollo ser reina y, además, no le apetecía nada volver a España. Era como pasar de una vida en color a otra en blanco y negro. Por otra parte, tenía miedo de que Felipe no quisiera vivir allí y ella no podía imaginarse la vida alejada de él. Pero, en realidad, Felipe estaba encantado con la idea. Se le hacía la boca agua solo de pensar que podía ser rey de Castilla y de Aragón, y de Granada y del mundo entero. De modo que cogieron los bártulos, se liaron la manta a la cabeza y se fueron a España.

Durante el viaje, Juanita se volvió a quedar embarazada, y es que tenía mucha facilidad. Algunos decían que si Felipe la miraba fijamente durante un buen rato, a la mañana siguiente Juanita ya estaba encinta. También tenía mucha facilidad para dar a luz. Una vez fue a hacer pis y se le escapó un niño. Pero esto es un secreto, es mejor que nadie se entere.

Después de un tiempo en España, Felipe empezó a echar de menos el ambiente de Flandes, así que, ni corto ni perezoso, se cogió un puente largo y se hizo una escapadita. Juanita, que estaba embarazadísima como una bola de nieve, se tuvo que quedar en España. Pasó mucho tiempo hasta que pudieron verse de nuevo.

CAPÍTULO 5

Al principio, Juanita no paraba de llorar, día y noche. Lloraba tanto que no podía comer ni dormir, y es que, aunque las chicas podamos hacer varias cosas a la vez, cuando se trata de llorar se nos nubla la vista, se nos llena la cabeza de lágrimas y no podemos hacer nada más. Estuvo una semana encerrada en su habitación sin querer ver a nadie, ni siquiera a sus hijos.

La reina y el rey empezaron a preocuparse mucho, nunca habían visto a su hija así. Además, ellos pensaban que las princesas que iban para reinas tenían que ocuparse de los problemas de Estado y no de los amores, ni de los maridos ni de echar de menos o de más.

Pero para Juanita no existía nada más que Felipe. Desde la mañana a la noche, perseguía su olor entre las sábanas, se acercaba a los espejos y lo buscaba en sus propios ojos, pero nada. Aunque su tripa no dejaba de crecer, ella cada vez estaba más delgada. Se iba consumiendo poco a poco.

Como Felipe no volvía, la tristeza de Juanita se convirtió en enfado. Porque una cosa es estar enamorada y otra muy diferente es ser la más tonta de Toledo. Así que empezó a idear un plan para ir a buscar a su marido y traérselo de los pelos.

En cuanto tuvo a su cuarto hijo, puso en marcha su plan.
Prometió a una sirvienta que, si se hacía pasar por ella durante
una noche, le presentaría al chico más guapo de Flandes, después
de Felipe, claro. Y que, además, como era casi reina, le obligaría a
casarse con ella. La sirvienta, que era más bien tirando a fea, se
dejó llevar por las promesas de Juanita. El engaño no duró mucho,
pero fue suficiente para que pudiera escapar a lomos de su caballo.

Cuando sus padres se enteraron, pensaron que Juanita se había
vuelto loca. Y no solo ellos; todo el mundo creía que estaba como
las cabras. Esta vez sí que había liado una buena...

Juanita tuvo un viaje durísimo; aún estaba débil por el parto.
Se alimentaba con lo que encontraba por el camino y solo dormía
cuando ya no podía más, cuando le pesaban hasta las uñas de los
pies. Por fin, después de mucho trajín, llegó a Flandes. Aunque
durante todo el viaje estuvo poniendo a Felipe a caer de un burro,
cuando lo tuvo frente a frente se quedó muda, como la primera
vez que lo vio. Y le abrazó tanto tanto que se volvió a quedar
embarazada.

Pero las cosas ya no eran como ella las recordaba. La noticia de
que Juanita estaba loca había llegado hasta allí; todos la miraban
raro, incluso le parecía que Felipe estaba en su contra. Desde que
había llegado se pasaban los días discutiendo por tonterías y,
cuando llegaba la noche, Felipe se iba a dormir con otras chicas
de la corte. Esto se le hacía insoportable a Juanita. Todas las noches
salía de su dormitorio y entraba en cada una de las habitaciones
del palacio buscándole y despertando a todo el mundo.

Por la mañana, los sirvientes la encontraban dormida en cualquier
esquina, de puro agotamiento, y soñando en voz alta. Con todo
esto lo único que conseguía era que Felipe y toda la corte creyeran

que era cierto lo que habían escuchado, que Juanita estaba como
una regadera.

¿Cómo hacer entender a todo el mundo que ella no estaba loca?
Cuando mucha gente cree algo, aunque estén equivocados, es
muy difícil hacerles pensar lo contrario. Así que Juanita,
en un ataque de lucidez, decidió hacer durante un tiempo
lo que se esperaba de ella.

CAPÍTULO 6

Volvió a España con el rabo entre las piernas y acompañada de Felipe. Cuando se encontró con sus padres, Juanita, cabizbaja, les pidió perdón por haber sido tan atolondrada. Prometió demostrarles que podía ser la mejor reina del mundo. Así que durante las siguientes semanas, fue más obediente que nunca. Vamos, que dejó de salirse de las rayas.

Los reyes volvieron a confiar en ella, aunque su madre seguía con la mosca detrás de la oreja. Durante un tiempo, se les olvidó todo el asunto de la locura y empezaron a ponerle tareas de más responsabilidad. Cada vez se sentía más cómoda en su papel de princesa modelo, incluso le cogió gusto a lo de ser alguien normal. Hasta que pasó lo que ella más temía: su madre murió de repente y ella se convirtió en reina. Nunca lo había pensado, pero tiene que ser muy duro que para ser reina se tenga que morir tu madre. Como dice mi abuelo Vicente: «¡Vaya paradoja!».

Felipe, por su parte, no parecía muy afectado; se había aclimatado muy bien a Toledo. Salía a cazar, a la cantina; vamos, hacía todas esas cosas que solían hacer los chicos. Parecía que habían encontrado el equilibrio, que se habían convertido en un matrimonio como Dios manda. Y, en una de estas, se volvieron a quedar embarazados.

Un día, estando en Burgos de fin de semana, Felipe sintió que
tenía el estómago un poco tonto. Esa misma noche empezó con
unas fiebres terribles. Juanita no se separaba de su lado, le ponía
paños de agua fría en la frente, le daba masajes en el pecho con
aceite de romero, pero nada le hacía efecto y la fiebre no paraba
de subir. Poco a poco, Felipe se iba haciendo más y más pequeñito,
no comía y casi no tenía fuerzas para beber, solo sudaba. Sudaba
tanto que parecía que llorara por todos los poros de su cuerpo;
era como si llevara puestos cinco jerséis en un día de verano.

Yo una vez que hice una excursión en bicicleta también sudé
mucho, sudé tanto que parecía que una nube había reventado
justo encima de mi cabeza. Después tuve que beber como un litro
de agua (que son más de cuatro vasos) para recuperarme. Pero
a Felipe no le entraba nada en el cuerpo y unos días más tarde
se quedó dormido y no se volvió a despertar.

Ese fue el fin de Juanita...
Gritó, rio, estornudó... pero no lloró.
Esta vez sí que se había vuelto loca.

VALLADOLID

TORDESILLAS

N
O E
S

CAPÍTULO 7

Antes de morir, a Felipe no se le ocurrió otra cosa que pedir que, si no salía de esa, su corazón se enviara a Flandes y su cuerpo fuera enterrado en Granada, donde tan buenos veranos habían pasado.

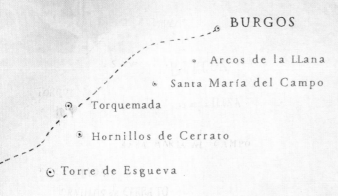

BURGOS

Arcos de la LLana

Santa María del Campo

Torquemada

Hornillos de Cerrato

Torre de Esgueva

Juanita se empeñó en viajar ella misma con el ataúd desde Burgos hasta Granada. Durante ocho meses no se separó del cuerpo de su marido, sin lavarse ni peinarse y sin cambiarse de ropa ni un día, ni siquiera cuando parió a su última hija, Catalina. Y claro, empezó a oler a bolitas de ombligo como su madre.

La acompañaba un montón de gente: curas, monjas, sirvientas, ¡hasta soldados había! Viajaban durante la noche para que la gente de los pueblos no cotilleara; pero claro, con tantos caballos, quieras o no, se arma mucho jaleo. Además, todos los que iban con ella estaban hartos, tenían frío y ampollas en los pies, no entendían que tuvieran que ir hasta Granada con el cementerio tan bonito que tenían en Burgos. Así que cada vez que paraban en un pueblo a descansar, renegaban de su reina. Y ya se sabe cómo son los pueblos, Menganito se lo dice a Fulanito y al final todos han visto un burro volando.

Los rumores que corrían por los pueblos por los que pasaba se extendían por todo el país. Porque, claro, ¿quién no tiene un primo en Teruel o en Cuenca? Así, llegaron a oídos de su padre, que se puso hecho una furia. Y antes de que Juanita pisara Granada y pudiera enterrar a Felipe, la cogió por los pelos y la encerró para el resto de su vida en un palacio que tenían muerto de risa en Tordesillas. Estuvo nada más y nada menos que cuarenta y seis largos años, con sus días y sus noches, que se dice pronto.

CAPÍTULO 8

Al principio, el encierro fue muy duro: pataleó, chilló, hasta insultó. Y volvió a llorar otra vez, mucho mucho. Pero como su padre no quería que sufriera tanto y tampoco podía dejarla salir del castillo, decidió que Juanita se quedara con Catalina para criarla.

Se ocupó de la educación de su hijita hasta los diez años. Le enseñó lo divertido que era cantar muy fuerte, a saltar sobre las camas, a disfrazarse, a despeinarse cuando quisiera, a esconderse sin hacer ruido y, sobre todo, a reírse muchísimo y a salirse de las rayas. Había que salirse de las rayas para sentirse libre aunque estuvieras encerrado en un castillo, le decía; eso sí, no se lo podía contar a nadie, pues la gente de la corte era muy seria y aburrida y nunca, jamás de los jamases, la entenderían. Ese sería su secreto.

A Juanita, con tanto sufrir, le salieron muy pronto canas en el pelo y, cuando Catalina le preguntaba a su madre por qué se le ponía el pelo blanco, siempre le respondía:

—Es Felipe, tu papá, que por las noches me sopla en la cabeza toda la luz de la luna.

Yo no sé cómo debe de ser estar castigada durante cuarenta y seis años, solo tengo ocho y mi mayor castigo ahora mismo es no saber cuál es la ventana del chico rubio de enfrente. Así que no me

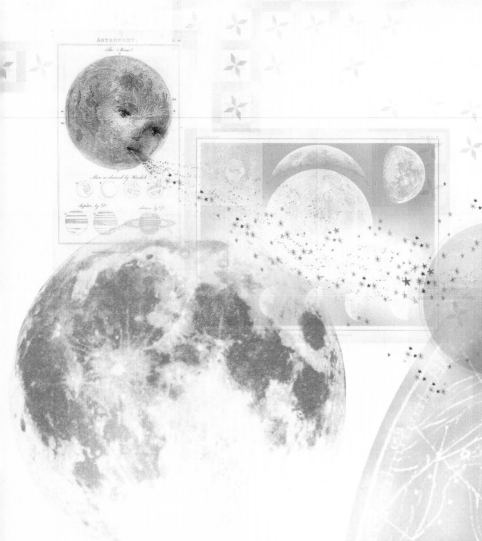

extraña que entre el encierro y la vida tan inquieta que tuvo, la sigan conociendo como Juana la Loca. Aunque para mí seguirá siendo Juanita, la que se volvió un poco loquita.

A JUANITA, CON TANTO SUFRIR, EL PELO SE LE PUSO BLANCO MUY PRONTO.

CUANDO CATALINA PREGUNTABA, ELLA CONTESTABA:

ES FELIPE, TU PAPÁ,

QUE POR LAS NOCHES ME SOPLA EN LA CABEZA TODA LA LUZ DE LA LUNA.

CURioSEANDO

PERSONAJES ILUSTRES DE LA ÉPOCA

Cristóbal Colón
(c. 1436/56-1506)

Fue el navegante más famoso de la época, aunque no se sabe si nació en España o en Italia. Es mundialmente conocido porque descubrió América en 1492. Para el resto del mundo, claro, porque los que vivían allí ya sabían de sobra que existía y no necesitaban que viniera un europeo para descubrirles nada. Lo más gracioso es que en realidad quería ir a las Indias por un camino más corto, pero se perdió y encontró América de pura chiripa.

Leonardo da Vinci
(1452-1519)

Fue lo que se dice un «hombre del Renacimiento», que quiere decir que sabía hacer muchas cosas a la vez y todas bien, desde pintar un cuadro hasta inventar máquinas voladoras. Pintó *La Mona Lisa*, que es el cuadro más famoso de la historia, entre otras cosas porque la chica que sale no se sabe si está feliz o enfadada. Si me preguntas a mí, creo que simplemente estaba intentando sonreír, pero que llevaba tanto tiempo posando que ya no le salía de forma natural.

Miguel de Cervantes (1547-1616)

Es el escritor español más famoso en el mundo porque escribió *El ingenioso hidalgo don Quijote de la Mancha*, que es la mejor novela que se ha escrito nunca en nuestro país y la que más se ha leído en el mundo entero. Solo la supera la Biblia, que ya es decir. A Cervantes también se le conoce como el Manco de Lepanto porque perdió la movilidad de la mano izquierda en esa batalla. Supongo que no era zurdo porque, si no, no sé cómo pudo escribir un libro tan largo.

Los Reyes Católicos

Los padres de Juanita, Isabel y Fernando, fueron tan importantes porque con su boda consiguieron unir dos reinos muy grandes, el de Castilla y el de Aragón, que abarcaban casi todos los pueblos de España. Y encima conquistaron Granada, así que podríamos decir que son los padres de España tal y como conocemos hoy este país. Además, intentaron convertir en católicos a los musulmanes y a los judíos que vivían en el reino. Como no lo consiguieron por las buenas, los echaron. Y es que, cuando se trataba de religión, Isabel y Fernando eran muy cabezotas y no se andaban con chiquitas.

María de Austria
Catalina de Austria
Isabel de Austria
Fernando de Austria
Leonor de Austria
Carlos
Margarita de Austria
Felipe El hermoso
Juana de Castilla
Juan de Aragón
María de Aragón
Maximiliano I
María de Borgoña
Isabel de Aragón
Fernando de Aragón
Isabel de Castilla

JUANITA EN UN PISPÁS

1479 Juanita nace en Toledo.

1496 Viaja a Flandes y se casa con Felipe el Hermoso.

1498 Nace su primera hija, Leonor.

1500 Tras la muerte de sus hermanos, Juan e Isabel, y su sobrino, Miguel, se convierte en la heredera al trono.

1502 Se traslada con Felipe de Flandes a Toledo.

1504 Fallece su madre y se convierte en reina de Castilla.

1506 Felipe muere en Burgos con 28 años.

1506-1509 Juanita viaja con el féretro de Felipe por toda España.

1509 Su padre, Fernando, la encierra en Tordesillas.

1555 Juanita pasa a mejor vida después de estar 46 años encerrada.